도형 학습의 기준

# 플라토

# D2

도형조작 | 초4

사고가 자라는 수학

씨투엠

# 플라토가 제안하는 도형 학습법

도형 학습지 플라토를 처음 기획하던 때의 기억이 선명하네요. 처음에는 아이들에게 그다지 필요하지 않을 거라 생각해서 소수의 학원에서만 풀리는 교재로 생각했는데 교재가 모양을 갖추어가자 점점 모든 아이들이 즐겁게 도형을 풀 수 있는 책이 만들어질 거라는 확신이 들었지요.

처음 교재를 쓰면서 놓치지 않고 싶었던 콘셉트는 딱 이거였어요.
"쉽고! 가볍게!"
쉬운 교재를 쓴다는 것이 결코 쉽지 않았답니다. 쓰다 보면 어느새 높은 수준의 공간 감각을 요구하는 어려운 문제가 막 튀어나오고 난리도 아니었지요. 그럴 때마다 '아니야, 이 책은 정말 쉽고 가벼워야 해. 아이들이 술술 풀 수 있는 학습지여야 한다고!' 하며 다시 마음을 다잡고 어려운 문제를 빼고 다시 쓰기를 반복했답니다.

우여곡절 끝에 나온 '플라토'를 지난 6년 정도의 시간 동안 정말 깜짝 놀랄 만큼 많은 아이들이 선택하여 풀게 되었지요. 처음 생각했던 가볍고 쉬운 도형 학습지라는 콘셉트가 많은 부모와 아이들에게 받아들여졌다는 사실이 저자로서 무척이나 기쁘고 정말 뿌듯하답니다. 플라토가 단순히 도형을 체계적으로 학습하기 위한 학습지라는 개념을 넘어, 아이들이 도형, 더 나아가 수학에 대한 자신감을 가질 수 있게 하는 수학 학습의 시작점이 되었다는 사실이 무엇보다 자랑스럽습니다.

아이들을 위한 수학책을 집필하면서 수학 때문에 힘들어하는 아이들에게 또 하나의 짐을 더 지워주는 것이 아닌가 하는 걱정이 있었어요. 도형 학습지 플라토가 초등 도형 학습이라는 새로운 영역을 개척하며 점점 성장하는 것과 함께 어쩌면 도형도 따로 공부해야 한다는 또 다른 짐이 되어버린 것 같아 아쉽기도 했지요. 하지만 지난 몇 년간 플라토를 푼 많은 아이들이 올려준 후기를 보면서 저희의 걱정이 지나쳤다는 확신이 생겼답니다. 플라토를 푼 아이들, 플라토로 수학을 시작한 아이들은 수학이 괴롭고 힘들다는 인식 대신, 수학을 가볍고 부담 없고 만만한 것으로 받아들이게 되는 과정을 몸소 보여주었어요. 이것은 저희가 처음에 플라토를 기획했던 때에 기대했던 반응과 효과를 넘어선 정말 커다란 수학 학습의 변화라고 자평한답니다.

많은 사랑을 받았던 플라토가 이제, 플라토를 접한 이들의 소중한 피드백과 함께 새로운 개정판으로 다시 태어났어요. 원래 플라토가 가지고 있던 장점은 그대로 가진 채, 좀 더 예뻐지고, 좀 더 친절해지고, 좀 더 풍성해진 모습으로 다시 한번 아이들에게 다가가려 합니다. 이러한 작은 변화가 아무쪼록 여전히 수학, 그리고 도형으로 고민하는 많은 부모와 아이들에게 기쁜 소식이 되었으면 해요.

새로운 플라토, 잘 부탁드리고, 또 많은 관심과 의견 보내주시면 정말 고마울 거예요.

2022년 지식과상상연구소 드림

# 도형학습, 자주 묻는 질문과 답변

**질문 1** 도형 학습 반드시 필요할까요? 또는 어떤 아이들에게 필요할까요?

도형 영역의 성취도가 다른 영역에 비해 확연하게 높은 아이들과 선천적으로 공감 감각이 뛰어난 친구에게는 필요하지 않겠지요. 그러나 초등학교의 도형 학습은 단원 간 시간 간격이 상당히 크기 때문에 아이들이 도형의 기본 개념을 연계하여 학습하지 못하는 어려움이 있고, 이러한 어려움이 누적되면 훨씬 어려운 중학교 도형 영역에서 힘들어하는 경우가 많답니다. 이 때문에 좀 더 도형을 체계적으로 꾸준하게 하고 싶다는 아이들에게는 반드시 추천합니다.

특히 도형을 어려워하거나 싫어하는 친구들에게 플라토는 특효약이 될 수도 있다는 점 잊지 마세요.

**질문 2** 도형 학습은 교구가 반드시 필요한가요?

영유아기에 도형 교구를 다루어 본 아이들과 그렇지 않은 아이들은 초등 단계에서 유의미한 도형 학습의 성취도 차이를 보이기는 합니다. 그러므로 3세~7세의 아이들에게 도형 교구를 노출시켜주어야 한다고 생각해요. 유아 단계에서는 놀이를 중심으로 한 교구 학습을 추천하고, 플라토를 시작하고 진행하는 단계에서는 교구를 도형 학습의 보조 도구로 활용하는 것이 좋을 것 같습니다. 예를 들어 플라토를 풀다가 거울에 비친 모양을 어려워한다면 거울 교구를, 칠교를 어려워한다면 칠교 교구를 직접 만지면서 문제를 푸는 것이 학습 효과를 높일 수 있지요. 플라토 개정판에서는 연관 교구를 표시해 두었고, 일부 교구재를 교재와 함께 제공하고 있습니다.

**질문 3** 반드시 추천하는 도형 교구가 있나요?

반드시 필요한 도형 교구라면 교과서에 등장하는 도형 교구라고 생각해요. 패턴블록, 거울(리플렉터), 칠교, 펜토미노, 쌓기나무, 입체 모형, 지오보드 등이 교과서에 빠지지 않고 등장하는 교구이지요. 이러한 교구를 한 번에 묶어서 구성해 놓은 것이 플라토 주머니랍니다. 필요하신 분은 검색해 보세요!

**질문 4** 아이가 플라토를 너무 빨리 풀어요. 어떻게 해야 할까요?

입문 단계의 플라토는 정말 쉽게 만들었기 때문에 어떤 아이들은 한 달 분량의 교재를 1주일이나 빠르게는 2~3일 만에 풀곤 한답니다. 아이가 학습지를 스스로의 의지로 빨리 풀어낸다는 것은 좋은 일이지요. 칭찬해 주어야 마땅합니다. 6세~2학년 정도까지는 도형 학습에 있어 좀 더 윗 단계를 푸는 것도 크게 어렵지 않습니다. 그래서 아이 연령에서 2단계~3단계 위까지는 아이가 속도감 있게 풀면서 쭉 나가주어도 괜찮아요. 그러다가 아이들이 학교에서 배워야만 풀 수 있는 주제가 나올 때 잠시 멈추고 연산/사고력 문제집을 풀게 하는 것이 좋습니다. 윗 단계의 도형 학습을 수월하게 진행하려면 연산 학습과 사고력 학습도 같이 진행하는 것이 좋기 때문입니다.

**질문 5** 플라토만으로 도형 학습을 다 했다고 할 수 있을까요? 너무 쉬운 문제만 푸는 게 아닐까 불안해요.

플라토는 분명 쉬운 교재이지만 초등 수학 수준에 필요한 난이도의 도형 문항은 모두 수록되어 있답니다. 하지만 아이들에 따라 도형 학습에 재미를 붙이는 단계에서 좀 더 수준 높은 문제로 공간 감각과 사고력을 키우고 싶을 수도 있지요. 이런 경우 사고력수학 교재의 도형 영역으로 좀 더 심화된 학습을 하는 것을 추천합니다. 또한 우리 플라토도 좀 더 확장된 도형 학습을 필요로 하는 아이들을 위한 심화 교재를 준비하고 있으니 기대해주세요!

# 플라토 전체 커리

| 교재 | | S(6세) | P(7세) | A(초등학교 1학년) |
|---|---|---|---|---|
| **1권**<br>**평면규칙** | 1주차 | 점과 선 | 도형 그리기 | 점과 선의 수 |
| | 2주차 | 똑같은 모양 | 같은 도형 | 여러 가지 도형 |
| | 3주차 | 도형 세기 | 도형 세기 | 도형 세기 |
| | 4주차 | 도형 규칙 | 도형 규칙 | 도형 규칙 |
| **2권**<br>**도형조작** | 1주차 | 길이 비교 | 같은 길이 | 넓이 비교 |
| | 2주차 | 모양 붙이기 | 세모 붙이기 | 패턴블록 |
| | 3주차 | 모양 자르기 | 네모 붙이기 | 도형 돌리기 |
| | 4주차 | 거울과 위치 | 거울에 비친 도형 | 모양 만들기 |
| **3권**<br>**입체설계** | 1주차 | 입체 모양 관찰 | 입체도형 관찰 | 입체도형 연구 |
| | 2주차 | 블록 모양 만들기 | 블록 모양 만들기 | 여러 가지 입체 |
| | 3주차 | 쌓기나무 | 쌓기나무 | 쌓기나무 세기 |
| | 4주차 | 입체도형 세기 | 층층 쌓기 | 입체도형 추리 |
| **4권**<br>**공간지각** | 1주차 | 잘라내기 | 구멍난 종이 | 구멍난 종이 |
| | 2주차 | 종이 접기 | 종이 접기 | 접고 잘라내기 |
| | 3주차 | 투명 종이 겹치기 | 여러 방향 관찰 | 여러 방향 관찰 |
| | 4주차 | 모양 겹치기 | 도형 겹치기 | 겹친 실루엣 |

| B(초등학교 2학년) | C(초등학교 3학년) | D(초등학교 4학년) | E(초등학교 5학년) | F(초등학교 6학년) |
|---|---|---|---|---|
| 원과 다각형 | 직선과 각 | 각도기와 각 | 다각형의 둘레 | 원주와 원주율 |
| 도형 그리기 | 직각이 있는 도형 | 삼각형 | 합동 | 원을 이용한 길이 |
| 도형 세기 | 도형 그리기 | 수직과 평행 | 선대칭 | 원의 넓이 |
| 점판 그리기 | 패턴 무늬 | 다각형 | 점대칭 | 원을 이용한 넓이 |
| 길이 재기 | 밀기와 뒤집기 | 도형의 각 | 직사각형의 넓이 | 직육면체의 겉넓이 |
| 칠교판 | 돌리기 | 삼각형의 성질 | 평행사변형, 삼각형의 넓이 | 직육면체의 부피(1) |
| 길이의 합과 차 | 도형의 이동 | 사각형의 성질 | 사다리꼴, 마름모의 넓이 | 직육면체의 부피(2) |
| 모양 만들기 | 원과 길이 | 선 긋기와 각 | 다각형의 넓이 | 원기둥의 겉넓이와 부피 |
| 입체도형 연구 | 쌓기나무 그리기 | 입체 찍기 | 직육면체 | 각기둥 |
| 본뜬 모양 | 쌓기나무 세기 | 입체도형 포장 | 직육면체의 전개도 | 각뿔 |
| 쌓기나무 발자국 | 입체의 부피 | 쌓기나무 포장 | 전개도 그리기 | 전개도 |
| 쌓기나무 세기 | 큐브 블록 | 포장 종이 잇기 | 전개도와 대각선 | 원기둥, 원뿔, 구 |
| 색종이 공예 | 색종이 공예 | 점의 이동 | 점의 이동 | 쌓기나무의 수 |
| 여러 방향 쌓기 | 구멍난 종이 | 모양과 점의 이동 | 모양과 점의 이동 | 위, 앞, 옆 모양 |
| 투명 종이 겹치기 | 여러 방향 관찰 | 같은 모양, 다른 모양 | 주사위 | 위, 앞, 옆과 수 |
| 그림자 추리 | 색종이 겹치기 | 정다각형을 붙인 모양 | 뚜껑이 없는 상자 | 큐브 연결 |

이 책의
**목차**

# 1 주차

## 도형의 각

# 각도의 합과 차

 각도의 합과 차를 이용하여 □ 안에 알맞은 수를 써넣으시오.

각도의 합:
$40° + 70° = 110°$

각도의 차:
$70° - 40° = 30°$

각도끼리 더하거나 뺄 수 있어.

**1**

**2**

**3**

**4**

**5**

**6**

**7**

**8**

☐ 안에 알맞은 수를 써넣으시오.

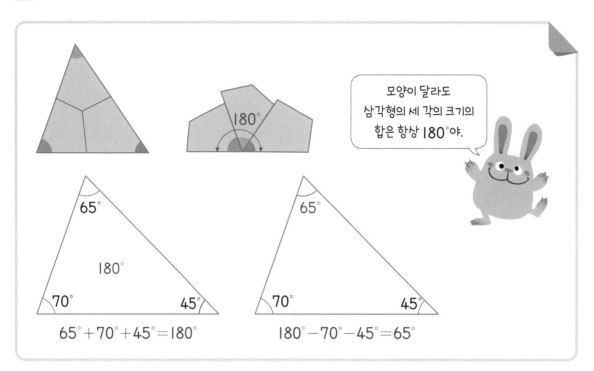

모양이 달라도
삼각형의 세 각의 크기의
합은 항상 180°야.

65°

180°

70°          45°

65°+70°+45°=180°

65°

70°          45°

180°−70°−45°=65°

**1**

50°

☐°

60°

**2**

☐°

120°          40°

**3**

**4**

**5**

**6**

**7**

**8**

# 3일 삼각형 밖의 각도

✏️ ☐ 안에 알맞은 수를 써넣으시오.

**1**

**2**

**3**

25°

30°

**4**

55°

**5**

17°

28°

**6**

155°

75°

**7**

120°

60°

**8**

80°

45°

# 4일 사각형 네 각의 합

 □ 안에 알맞은 수를 써넣으시오.

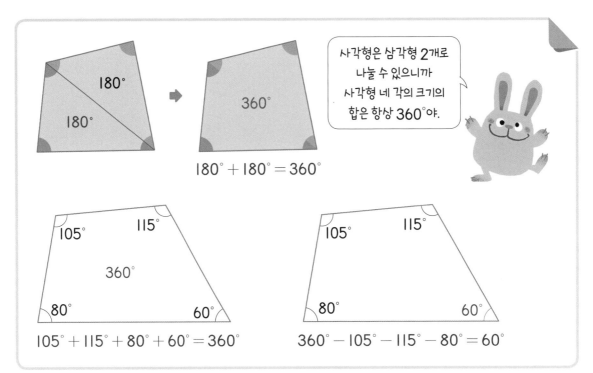

사각형은 삼각형 2개로 나눌 수 있으니까 사각형 네 각의 크기의 합은 항상 360°야.

180° + 180° = 360°

105° + 115° + 80° + 60° = 360°

360° − 105° − 115° − 80° = 60°

**1**

**2**

**3**

**4**

**5**

**6**

**7**

**8**

# 5일 사각형 밖의 각도

 □ 안에 알맞은 수를 써넣으시오.

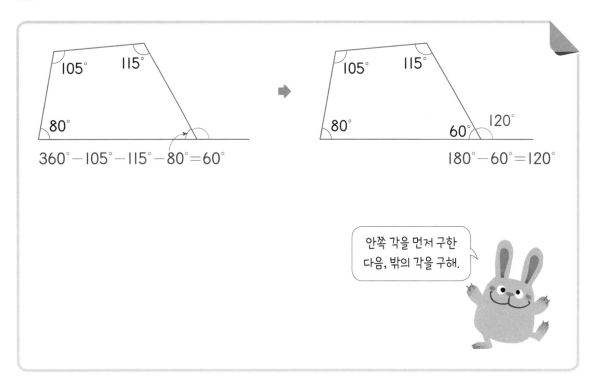

$360° - 105° - 115° - 80° = 60°$

$180° - 60° = 120°$

안쪽 각을 먼저 구한 다음, 밖의 각을 구해.

**1**

**2**

**3**

**4**

**5**

**6**

**7**

**8**

✎ ☐ 안에 알맞은 수를 써넣으시오.

**1**

**2**

✎ ☐ 안에 알맞은 수를 써넣으시오.

**3**

**4**

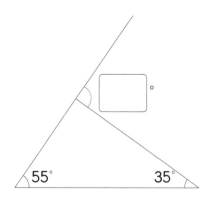

✏️ ☐ 안에 알맞은 수를 써넣으시오.

**5**

**6**

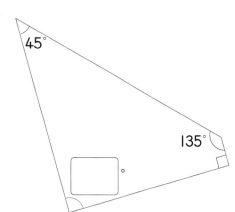

✏️ ☐ 안에 알맞은 수를 써넣으시오.

**7**

**8**

# 2 주차

## 삼각형의 성질

✎ 다음은 정삼각형입니다. ☐ 안에 알맞은 수를 써넣으시오.

1

2

3

4

**5**

**6**

**7**

**8**

**9**

**10**

2<sub>일</sub>

# 이등변삼각형(1)

✏️ 다음은 이등변삼각형입니다. ☐ 안에 알맞은 수를 써넣으시오.

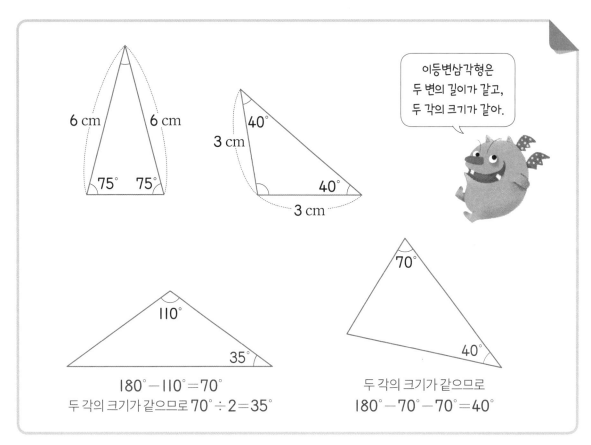

이등변삼각형은
두 변의 길이가 같고,
두 각의 크기가 같아.

6 cm　6 cm
75°　75°

40°
3 cm
40°
3 cm

110°
35°
180° − 110° = 70°
두 각의 크기가 같으므로 70° ÷ 2 = 35°

70°
40°
두 각의 크기가 같으므로
180° − 70° − 70° = 40°

**1**

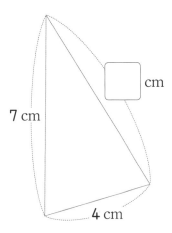

7 cm
☐ cm
4 cm

**2**

65°
65°
6 cm
☐ cm

**3**

**4**

**5**

**6**

**7**

**8**

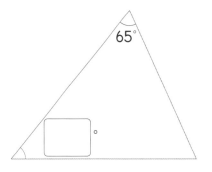

✏️ 다음은 이등변삼각형입니다. ☐ 안에 알맞은 수를 써넣으시오.

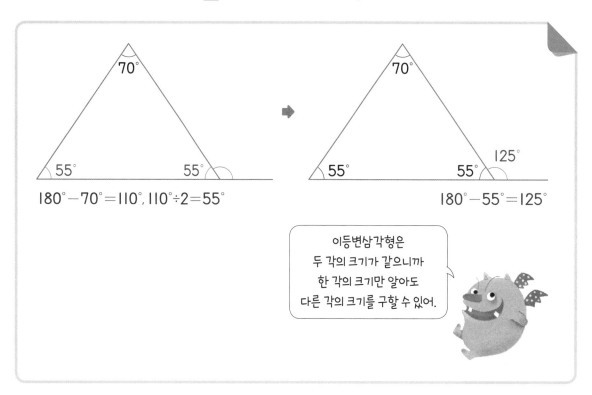

이등변삼각형은
두 각의 크기가 같으니까
한 각의 크기만 알아도
다른 각의 크기를 구할 수 있어.

**1**

**2**

**3**

15°

**4**

**5**

50°

**6**

105°

**7**

110°

**8**

70°

✏️ 이등변삼각형 **2**개를 붙였습니다. ☐ 안에 알맞은 수를 써넣으시오.

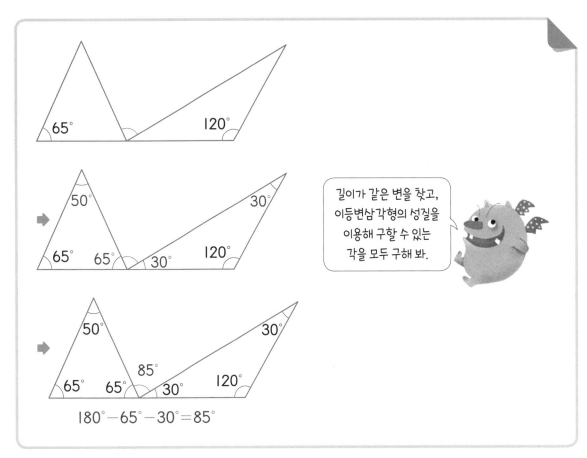

길이가 같은 변을 찾고,
이등변삼각형의 성질을
이용해 구할 수 있는
각을 모두 구해 봐.

**1**

**2**

**3**

**4**

**5**

**6**

**7**

**8**

# 삼각자와 각도

✏️ 두 종류의 삼각자를 보고, ☐ 안에 알맞은 수를 써넣으시오.

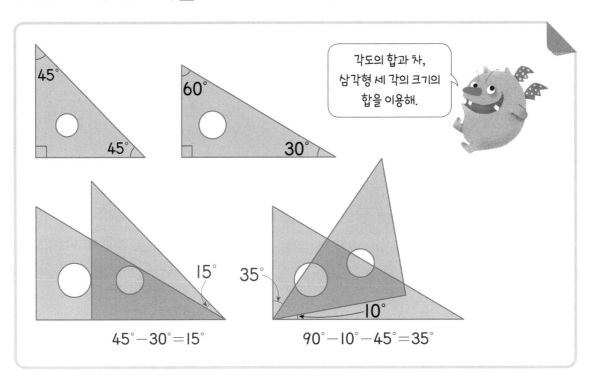

각도의 합과 차,
삼각형 세 각의 크기의
합을 이용해.

$45° - 30° = 15°$

$90° - 10° - 45° = 35°$

**1**

☐°

**2**

☐°

**3**

**4**

15°

**5**

35°

**6**

25°

**7**

**8**

확인학습

✏️ 다음은 정삼각형입니다. ☐ 안에 알맞은 수를 써넣으시오.

**1**

**2**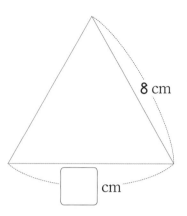

✏️ 다음은 이등변삼각형입니다. ☐ 안에 알맞은 수를 써넣으시오.

**3**

**4**

이등변삼각형 **2**개를 붙였습니다. ☐ 안에 알맞은 수를 써넣으시오.

**5**

**6**

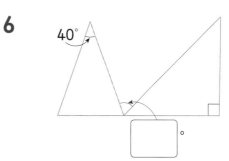

두 종류의 삼각자를 보고, ☐ 안에 알맞은 수를 써넣으시오.

**7**

**8**

# 3 주차

## 사각형의 성질

**평행사변형**

다음은 평행사변형입니다. ☐ 안에 알맞은 수를 써넣으시오.

▶ 평행사변형의 성질
1. 마주 보는 두 변의 길이가 같습니다.
2. 마주 보는 두 각의 크기가 같습니다.
3. 이웃하는 두 각의 크기의 합이 180°입니다.

평행사변형도
사각형의 한 종류니까
네 각의 크기의 합이 360°야.

이웃하는 두 각의 크기의 합이 180°이므로
180°−70°=110°

**1**

**2**

**3**

135°　45°

**4**

130°　50°

**5**

110°

**6**

65°

**7**

40°

**8**

55°

## 2일 마름모

다음은 마름모입니다. ☐ 안에 알맞은 수를 써넣으시오.

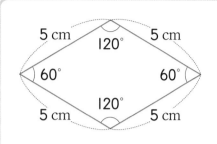

▶ 마름모의 성질
1. 네 변의 길이가 모두 같습니다.
2. 마주 보는 두 각의 크기가 같습니다.
3. 이웃하는 두 각의 크기의 합이 180°입니다. ─┐ 평행사변형의 성질

이웃하는 두 각의 크기의 합이 180°이므로
180°−50°=130°

마름모는 평행사변형이기도 하니까 평행사변형의 성질을 모두 가지고 있어.

**1**

6 cm

☐ cm

**2**

☐ cm

9 cm

**3**

40°

140°

___°

**4**

50°

___°

130°

**5**

125°

___°

**6**

___°

145°

**7**

___°

**8**

___°

20°

# 사각형 밖의 각도

 다음은 평행사변형입니다. ☐ 안에 알맞은 수를 써넣으시오.

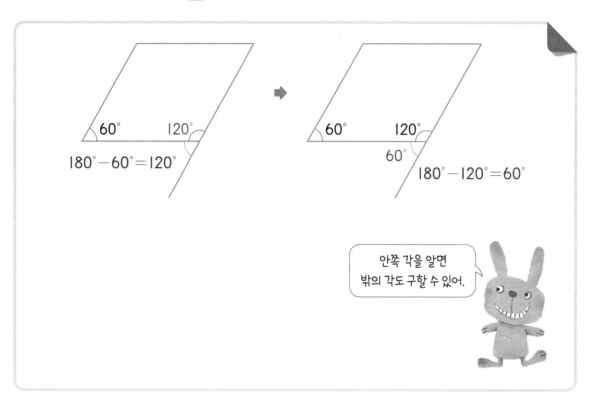

안쪽 각을 알면
밖의 각도 구할 수 있어.

**1**

**2**

**3**

65°

**4**

**5**

80°

**6**

105°

**7**

45°

**8**

55°

✏️ 사각형에 대각선을 그었습니다. ☐ 안에 알맞은 수를 써넣으시오.

평행사변형

55°
50° 130°

이웃하는 두 각의 크기의 합이 180°이므로
180°−50°=130°

75°
55°
50° 130°

마주 보는 두 각의 크기가 같으므로
130°−55°=75°

마름모

120°
30°

나누어진 삼각형은 이등변삼각형이므로
180°−120°=60°, 60°÷2=30°

마름모는 네 변의 길이가 같으니까 대각선을 그으면 이등변삼각형 2개로 나누어져.

**1** 평행사변형

60°
45°

**2** 평행사변형

30°
135°

**3** 평행사변형

50°
70°

**4** 평행사변형

125°
20°

**5** 마름모

**6** 마름모

20°
20°

**7** 마름모

50°

**8** 마름모

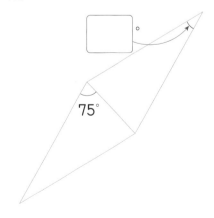

75°

# 패턴블록의 각도

✏️ 패턴블록의 각도를 살펴보고, ☐ 안에 알맞은 수를 써넣으시오.

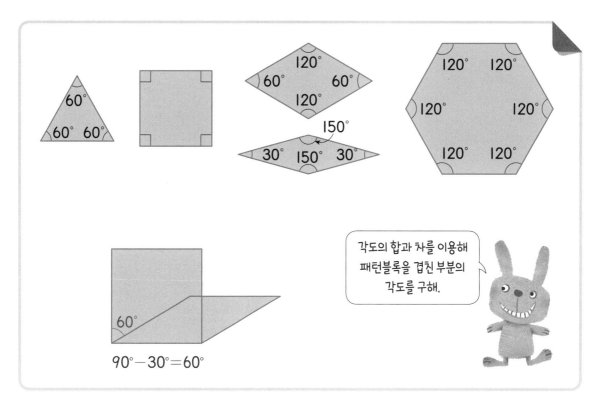

각도의 합과 차를 이용해 패턴블록을 겹친 부분의 각도를 구해.

$90° - 30° = 60°$

**1**

**2**

**3**

55°

**4**

15°

**5**

**6**

40°

**7**

**8**

15°

✏️ 다음은 평행사변형입니다. ☐ 안에 알맞은 수를 써넣으시오.

**1**

10 cm

☐ cm

8 cm

**2**

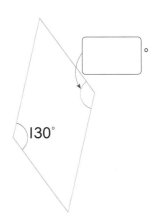

☐°

130°

✏️ 다음은 마름모입니다. ☐ 안에 알맞은 수를 써넣으시오.

**3**

6 cm

☐ cm

**4**

80°

☐°

✏️ 다음은 평행사변형입니다. ☐ 안에 알맞은 수를 써넣으시오.

**5**

**6**

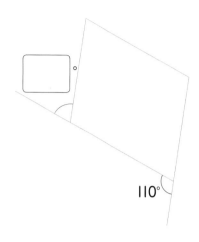

✏️ 사각형에 대각선을 그었습니다. ☐ 안에 알맞은 수를 써넣으시오.

**7** 평행사변형

**8** 마름모

# 4주차

## 선 긋기와 각

# 다각형의 모든 각

✏️ 다각형의 한 점에서 이웃하지 않은 모든 꼭짓점에 선분을 긋고, ☐ 안에 알맞은 말 또는 수를 써넣으시오.

다각형의 이름: 오각형

만들어지는 삼각형의 수: 3 개

모든 각의 크기의 합: 540 °

오각형은 삼각형 3개로 나눌 수 있으니까 오각형 모든 각의 크기의 합은 180°×3=540°야.

**1**

다각형의 이름: ☐

만들어지는 삼각형의 수: ☐ 개

모든 각의 크기의 합: ☐ °

**2**

다각형의 이름: ☐

만들어지는 삼각형의 수: ☐ 개

모든 각의 크기의 합: ☐ °

**3**

다각형의 이름: _____

만들어지는 삼각형의 수: ☐ 개

모든 각의 크기의 합: ☐ °

**4**

다각형의 이름: _____

만들어지는 삼각형의 수: ☐ 개

모든 각의 크기의 합: ☐ °

**5**

다각형의 이름: _____

만들어지는 삼각형의 수: ☐ 개

모든 각의 크기의 합: ☐ °

**6**

다각형의 이름: _____

만들어지는 삼각형의 수: ☐ 개

모든 각의 크기의 합: ☐ °

# 정다각형의 한 각

 다음은 정다각형입니다. ☐ 안에 알맞은 수를 써넣으시오.

정삼각형      정사각형      정오각형      정육각형

삼각형 세 각의 크기의 합: $180°$
정삼각형은 세 각의 크기가 모두 같으므로
한 각의 크기는 $180° \div 3 = 60°$

변의 길이가 모두 같고,
각의 크기가 모두 같은
다각형은 정다각형이야.

**1**

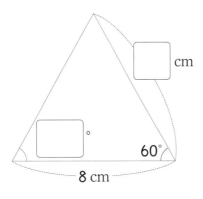

☐ cm

☐ °

$60°$

8 cm

**2**

☐ °

9 cm

☐ cm

**3**

□ cm

□ °

5 cm

108°    108°

**4**

120°

4 cm

□ °

□ cm

**5**

□ °

6 cm

□ cm

**6**

□ cm

□ °

7 cm

**7**

4 cm

□ cm

□ °

**8**

□ cm

3 cm

□ °

✎ 직선 **가**와 직선 **나**는 평행합니다. ☐ 안에 알맞은 수를 써넣으시오.

삼각형 안의 각을 모두 구합니다.
① 90°, ② 180°−90°−60°=30°
평행선 사이에 수직인 선분이 있으므로
③ 90°−30°=60°

사각형 안의 각을 모두 구합니다.
① 90°, ② 360°−90°−120°−85°=65°
평행선 사이에 수직인 선분이 있으므로
③ 90°−65°=25°

두 평행선 사이에 선분이 있을 때,
선분이 한 평행선의 수선이면
다른 평행선에도 수선이야.

**1**

**2**

**3**

**4**

**5**

**6**

**7**

**8**

# 수선 긋기와 삼각형

✏️ 직선 **가**와 직선 **나**는 평행합니다. ☐ 안에 알맞은 수를 써넣으시오.

평행선 사이에 수선을 그어 직각삼각형을 만듭니다.

삼각형에서 알 수 있는 각을 모두 구합니다.
① 90°, ② 90°−50°=40°
삼각형 세 각의 합을 이용하면
③ 180°−90°−40°=50°

> 평행선 사이에 수선을 그으면 각 평행선과 수선이 이루는 각은 모두 직각이야.

**1**

**2**

**3**

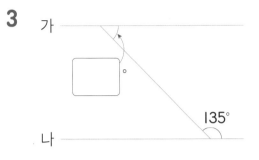

가

나

135°

**4**

가

나

120°

**5**

가

나

55°

**6**

가

나

60°

**7**

가

나

145°

**8**

가

나

105°

# 수선 긋기와 사각형

✏️ 직선 **가**와 직선 **나**는 평행합니다. ☐ 안에 알맞은 수를 써넣으시오.

평행선 사이에 수선을 그어 사각형을 만듭니다.

사각형에서 알 수 있는 각을 모두 구합니다.
① 90°, ② 90°−45°=45°
사각형 네 각의 합을 이용하면
③ 360°−90°−45°−110°=115°

수선을 긋는
위치가 중요해.

**1**

**2**

**3**

**4**

**5**

**6**

**7**

**8**

✏️ 다각형의 한 점에서 이웃하지 않은 모든 꼭짓점에 선분을 긋고, ☐ 안에 알맞은 말 또는 수를 써넣으시오.

**1**

다각형의 이름: ☐

만들어지는 삼각형의 수: ☐ 개

모든 각의 크기의 합: ☐ °

**2**

다각형의 이름: ☐

만들어지는 삼각형의 수: ☐ 개

모든 각의 크기의 합: ☐ °

✏️ 다음은 정다각형입니다. ☐ 안에 알맞은 수를 써넣으시오.

**3**

☐ °

7 cm

60°

☐ cm

**4**

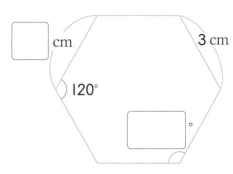

☐ cm

3 cm

120°

☐ °

직선 **가**와 직선 **나**는 평행합니다. ☐ 안에 알맞은 수를 써넣으시오.

**5**

**6**

직선 **가**와 직선 **나**는 평행합니다. ☐ 안에 알맞은 수를 써넣으시오.

**7**

**8**

# 형성 평가

✚ 형성 평가에는 앞서 공부한 4주 차의 유형이 순서대로 나옵니다.

✚ 문제가 틀리면 몇 주 차인지 확인하여 반드시 다시 한번 복습합니다.

✚ 각도의 합과 차를 이용하여 ☐ 안에 알맞은 수를 써넣으시오.

**1**

**2**

✚ 다음은 이등변삼각형입니다. ☐ 안에 알맞은 수를 써넣으시오.

**3**

**4**

✚ 다음은 마름모입니다. ☐ 안에 알맞은 수를 써넣으시오.

**5**

**6**

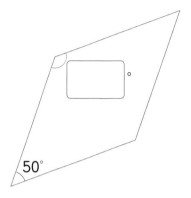

✚ 직선 **가**와 직선 **나**는 평행합니다. ☐ 안에 알맞은 수를 써넣으시오.

**7**

**8**

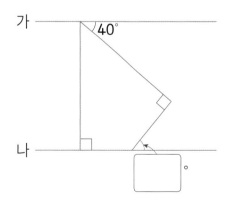

✦ ☐ 안에 알맞은 수를 써넣으시오.

**1**

**2**

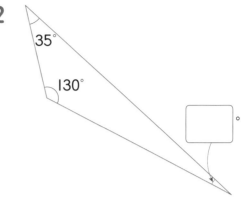

✦ 다음은 이등변삼각형입니다. ☐ 안에 알맞은 수를 써넣으시오.

**3**

**4**

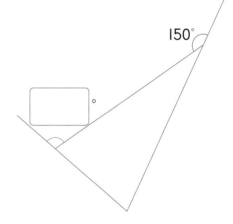

✚ 다음은 평행사변형입니다. ☐ 안에 알맞은 수를 써넣으시오.

**5**

cm

7 cm

6 cm

**6**

°

105°

✚ 직선 **가**와 직선 **나**는 평행합니다. ☐ 안에 알맞은 수를 써넣으시오.

**7**

가

°

나

110°

**8**

가

45°

°

나

✦ ☐ 안에 알맞은 수를 써넣으시오.

**1**

**2**

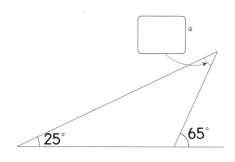

✦ 다음은 정삼각형입니다. ☐ 안에 알맞은 수를 써넣으시오.

**3**

**4**

✚ 패턴블록의 각도를 살펴보고, ☐ 안에 알맞은 수를 써넣으시오.

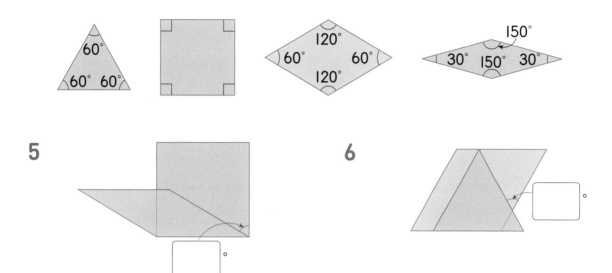

**5**

**6**

✚ 직선 **가**와 직선 **나**는 평행합니다. ☐ 안에 알맞은 수를 써넣으시오.

**7**

**8**

✚ ☐ 안에 알맞은 수를 써넣으시오.

**1**

**2**

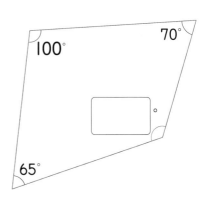

✚ 두 종류의 삼각자를 보고, ☐ 안에 알맞은 수를 써넣으시오.

**3**

**4**

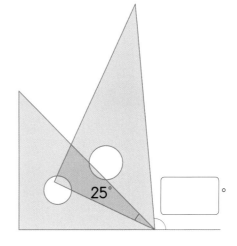

✚ 다음은 평행사변형입니다. ☐ 안에 알맞은 수를 써넣으시오.

**5**

**6**

✚ 다각형의 한 점에서 이웃하지 않은 모든 꼭짓점에 선분을 긋고, ☐ 안에 알맞은 말 또는 수를 써넣으시오.

**7**

다각형의 이름: ☐

만들어지는 삼각형의 수: ☐ 개

모든 각의 크기의 합: ☐ °

**8**

다각형의 이름: ☐

만들어지는 삼각형의 수: ☐ 개

모든 각의 크기의 합: ☐ °

✚ ☐ 안에 알맞은 수를 써넣으시오.

**1**

**2**

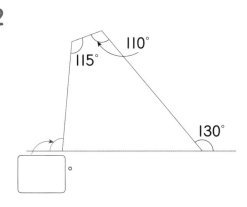

✚ 이등변삼각형 **2**개를 붙였습니다. ☐ 안에 알맞은 수를 써넣으시오.

**3**

**4**

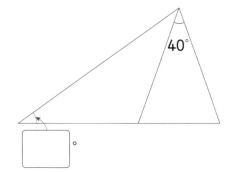

✤ 사각형에 대각선을 그었습니다. ☐ 안에 알맞은 수를 써넣으시오.

**5** 평행사변형

**6** 마름모

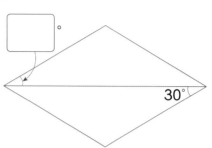

✤ 다음은 정다각형입니다. ☐ 안에 알맞은 수를 써넣으시오.

**7**

**8**

도형 학습의 기준

# 플라토
PLATO

## D2
도형조작 | 초4

사고가 자라는 수학
씨투엠

# 정답과 해설

정답 해설

**1일** 각도의 합과 차

각도의 합과 차를 이용하여 □ 안에 알맞은 수를 써넣으시오.

각도의 합:
$40° + 70° = 110°$

각도의 차:
$70° - 40° = 30°$

각도끼리 더하거나 뺄 수 있어.

**1**

$40° + 20° = 60°$ → 60

**2**

$85° - 55° = 30°$ → 30

**3**

$85° + 65° = 150°$ → 150

**4**

$130° - 50° = 80°$ → 80

**5**

$90° + 45° = 135°$ → 135

**6**

$90° - 15° = 75°$ → 75

**7**

$35° + 80° + 65° = 180°$ → 180

**8**

$180° - 70° - 25° = 85°$ → 85

## 2일

# 삼각형 세 각의 합

✏️ ☐ 안에 알맞은 수를 써넣으시오.

모양이 다르더라도 삼각형의 세 각의 크기의 합은 항상 180°야.

**1**

65° + 70° + 45° = **180°**

180° - 70° - 45° = **65°**

**2**

180° - 120° - 40° = **20°**

180° - 50° - 60° = **70°**

삼각형의 한 각의 크기는 180°에서 주어진 두 각의 크기를 빼서 구합니다.

12 D2 도형조각

**3**

180° - 60° - 60° = **60°**

**4**

180° - 130° - 25° = **25°**

**5**

180° - 35° - 25° = **120°**

**6**

180° - 35° - 90° = **55°**

**7**

180° - 105° - 20° = **55°**

**8**

180° - 47° - 63° = **70°**

# 3일 삼각형 밖의 각

✏️ ☐ 안에 알맞은 수를 써넣으시오.

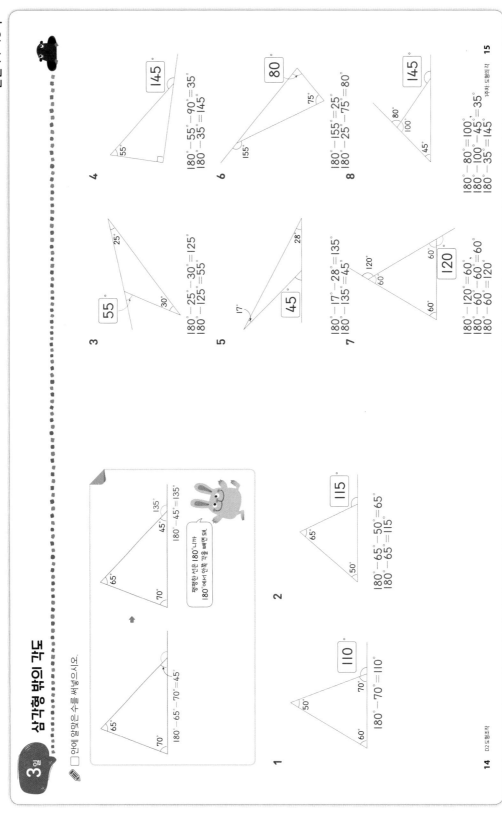

70° 65° 65° 180° − 65° − 70° = 45°

65° 70° 45° 135° 180° − 45° = 135°

평평한 선은 180°니까
180°에서 안쪽 각을 빼면 돼.

**1**
60° 50° 70° 110°
180° − 70° = 110°

**2**
65° 50° 65° 115°
180° − 65° − 50° = 65°
180° − 65° = 115°

**3**
30° 25° 55°
180° − 25° − 30° = 125°
180° − 125° = 55°

**4**
55° 145°
180° − 55° − 90° = 35°
180° − 35° = 145°

**5**
17° 28° 45°
180° − 17° − 28° = 135°
180° − 135° = 45°

**6**
155° 75° 80°
180° − 55° − 90° = 35°
180° − 35° = 145°

**7**
120° 60° 60° 60° 120°
180° − 120° − 60° = 60° − 60° = 120°
180° − 60° − 60° = 120°

**8**
100° 80° 45° 145°
180° − 80° − 100° = 35°
180° − 100° − 45° = 35°
180° − 35° = 145°

정답과 해설

# 4일 사각형의 네 각의 합

☐ 안에 알맞은 수를 써넣으시오.

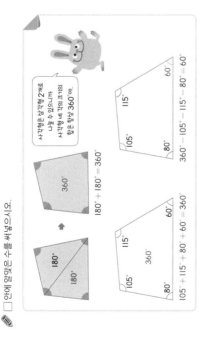

사각형은 삼각형 2개로 나눌 수 있으니까 사각형의 네 각의 크기의 합은 항상 360°야.

180° + 180° = 360°

105° + 115° + 80° + 60° = 360°

**1**
360° − 110° − 65° − 75° = 110°

**2**
360° − 90° − 100° − 90° = 80°

**3**
360° − 85° − 110° − 95° = 70°

**4**
360° − 120° − 90° − 50° = 100°

**5**
360° − 80° − 100° − 95° = 85°

**6**
360° − 150° − 100° − 50° = 60°

**7**
360° − 90° − 70° − 65° = 135°

**8**
360° − 85° − 55° − 130° = 90°

사각형의 한 각의 크기는 360°에서 주어진 세 각의 크기를 빼서 구합니다.

# 5회 사각형의 각

✎ □ 안에 알맞은 수를 써넣으시오.

360°-105°-115°-80°=60°
180°-60°=120°

안쪽 각을 먼저 구한 다음, 바깥 각을 구해.

**1**

85

360°-80°-100°-85°=95°
180°-95°=85°

**2**

100

360°-75°-115°-90°=80°
180°-80°=100°

**3**

75

360°-55°-110°-90°=105°
180°-105°=75°

**4**

115

360°-110°-75°-110°=65°
180°-65°=115°

**5**

65

180°-80°=100°
360°-100°-80°-115°=65°

**6**

140

180°-70°=110°
360°-60°-110°-50°=140°

**7**

80

180°-55°=125°
360°-60°-75°-125°=100°
180°-100°=80°

**8**

125

180°-80°=100°
360°-100°-45°-90°=125°

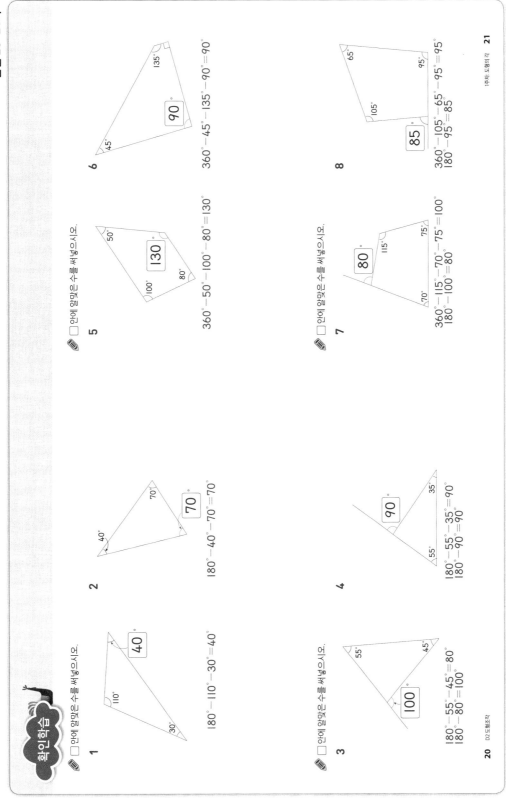

**확인학습**

✏️ ☐ 안에 알맞은 수를 써넣으시오.

**1**

110°

30°

**40°**

$180° - 110° - 30° = 40°$

**2**

40°

70°

**70°**

$180° - 40° - 70° = 70°$

✏️ ☐ 안에 알맞은 수를 써넣으시오.

**3**

55°

45°

**100°**

$180° - 55° - 45° = 80°$
$180° - 80° = 100°$

**4**

55°

35°

**90°**

$180° - 55° - 35° = 90°$
$180° - 90° = 90°$

**5**

50°

100°

80°

**130°**

$360° - 50° - 100° - 80° = 130°$

**6**

45°

135°

**90°**

$360° - 45° - 135° - 90° = 90°$

✏️ ☐ 안에 알맞은 수를 써넣으시오.

**7**

70°

115°

75°

**80°**

$360° - 115° - 70° - 75° = 100°$
$180° - 100° = 80°$

**8**

65°

105°

95°

**85°**

$360° - 105° - 65° - 95° = 95°$
$180° - 95° = 85°$

# 1일 정삼각형

다음은 정삼각형입니다. ☐ 안에 알맞은 수를 써넣으시오.

정삼각형은
세 변의 길이가 모두 같고,
세 각의 크기도 모두 같아.

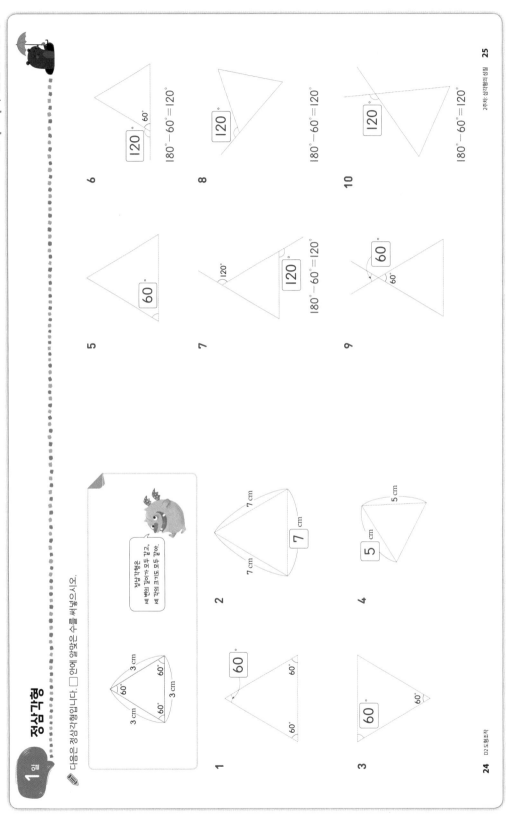

**1**

3 cm  60°  60°  3 cm  60°  3 cm

**2**

7 cm  7 cm  7 cm

**3**

60°  60°  60°

**4**

5 cm  5 cm

**5**

60°

**6**

60°  120°
180° − 60° = 120°

**7**

120°  120°
180° − 60° = 120°

**8**

120°

**9**

60°  60°

**10**

120°
180° − 60° = 120°

180° − 60° = 120°

# 2일 이등변삼각형(1)

✏️ 다음은 이등변삼각형입니다. □ 안에 알맞은 수를 써넣으시오.

이등변삼각형은
두 변의 길이가 같고,
두 각의 크기가 같아.

$180° - 110° = 70°$
두 각의 크기가 같으므로 $70° ÷ 2 = 35°$

두 각의 크기가 같으므로
$180° - 70° - 70° = 40°$

**1**

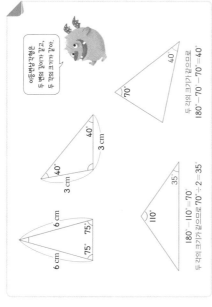

7 cm    7 cm    4 cm

**2**

65°    65°    6 cm    6 cm

**3**

80°    50    50°

$180° - 80° - 50° = 50°$

**4**

120°    30

$180° - 120° = 60°$,  $60° ÷ 2 = 30°$

**5**

45

$180° - 90° = 90°$,  $90° ÷ 2 = 45°$

**6**

40°    100

$180° - 40° - 40° = 100°$

**7**

50°    80

$180° - 50° - 50° = 80°$

**8**

65°    50

$180° - 65° - 65° = 50°$

# 3일 이등변삼각형(2)

다음은 이등변삼각형입니다. □ 안에 알맞은 수를 써넣으시오.

$180°-70=110, 110÷2=55$
$180°-55°=125°$

이등변삼각형은 두 각의 크기가 같으니까 한 각의 크기만 알아도 다른 각의 크기를 구할 수 있어.

**1** 150

$180°-120°=60°, 60°÷2=30$
$180°-30°=150°$

**2** 115

$180°-65°=115°$

**3** 30

$180°-15°-15°=150°$
$180°-150°=30°$

**4** 135

$180°-90°=90°, 90°÷2=45°$
$180°-45°=135°$

**5** 25

$180°-50°=130°$
$180°-130°=50°, 50°÷2=25°$

**6** 30

$180°-105°=75°$
$180°-75°-75°=30°$

**7** 110

$180°-110°=70°$
$180°-70°=110°$

**8** 145

$180°-70°=110°, 180°-110°=70°$
$70°÷2=35°, 180°-35°=145°$

# 4회 붙인 도형의 각도

이등변삼각형 2개를 붙였습니다. □ 안에 알맞은 수를 써넣으시오.

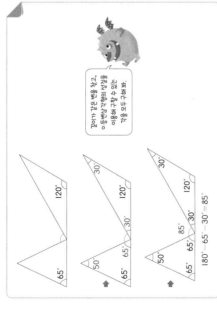

길이가 같은 변을 찾고, 이등변삼각형의 성질을 이용해 구할 수 있는 각을 모두 구해 봐.

**1** [80]
180°−40°=140°, 140°÷2=70°
180°−70°−30°=80°

**2** [45]
180°−40°−40°=100°
180°−110°=70°, 70°÷2=35°
180°−100°−35°=45°

**3** [105]
180°−90°=90°, 90°÷2=45°
180°−75°−30°
180°−45°−30°=105°

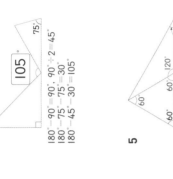

**4** [70]
180°−100°=80°, 80°÷2=40°
180°−40°=140°, 140°÷2=70°
180°−40°−70°=70°

**5** [30]
180°−60°=120°
180°−120°=60°, 60°÷2=30°

**6** [80]
180°−25°−25°=130°
180°−130°=50°
180°−50°−50°=80°

**7** [60]
180°−30°−30°=120°
180°−120°=60°

**8** [25]
180°−65°−65°=50°
180°−50°=130°, 180°−130°=50°
50°÷2=25°

# 5일 삼각자와 각도

✏️ 두 종류의 삼각자를 보고, ☐ 안에 알맞은 수를 써넣으시오.

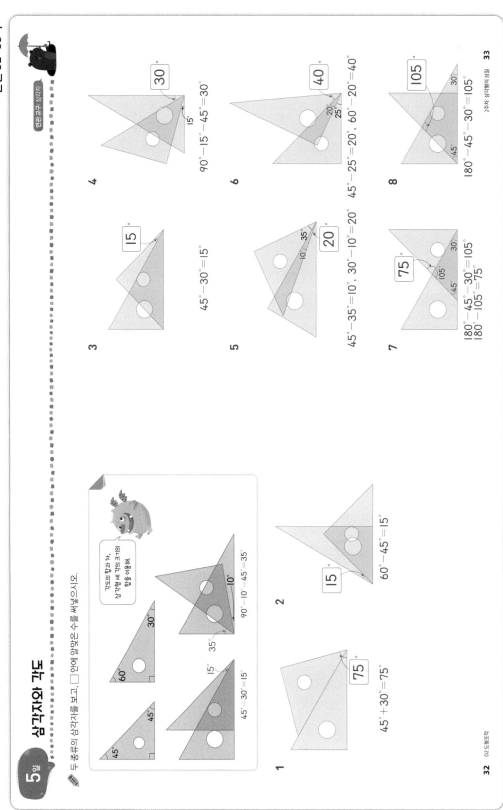

연필 교구 삼각자

각도의 합과 차, 삼각자의 변의 평행을 이용해.

**1** 75°
45° + 30° = 75°

**2** 15°
60° − 45° = 15°

**3** 15°
45° − 30° = 15°

**4** 30°
90° − 15° − 45° = 30°

**5** 20°
45° − 35° = 10°, 30° − 10° = 20°

**6** 40°
45° − 25° = 20°, 60° − 20° = 40°

**7** 75°
180° − 45° − 30° = 105°
180° − 105° = 75°

**8** 105°
180° − 45° − 30° = 105°

## 확인학습

1 다음은 정삼각형입니다. □ 안에 알맞은 수를 써넣으시오.

60

2

8 cm
8 cm

8

3 다음은 이등변삼각형입니다. □ 안에 알맞은 수를 써넣으시오.

130°

25

$180° - 130° = 50°$
$50° ÷ 2 = 25$

4

30°

105

$180° - 30° = 150°$
$150° ÷ 2 = 75°, 180° - 75° = 105°$

5 이등변삼각형 2개를 붙였습니다. □ 안에 알맞은 수를 써넣으시오.

50° 130°

25

$180° - 50° = 130°$
$180° - 130° = 50°, 50° ÷ 2 = 25$

6

40° 70° 45°

65

$180° - 40° = 140°, 140° ÷ 2 = 70°$
$180° - 90° = 90°, 90° ÷ 2 = 45°$
$180° - 70° - 45° = 65°$

7 두 종류의 삼각자를 보고, □ 안에 알맞은 수를 써넣으시오.

45° 45°    60° 60°    30°

60

$90° - 30° = 60°$

8

45° 75° 60°

105

$180° - 45° - 60° = 75°$
$180° - 75° = 105°$

# 평행사변형

다음은 평행사변형입니다. ☐ 안에 알맞은 수를 써넣으시오.

▶ 평행사변형의 성질
1. 마주 보는 두 변의 길이가 같습니다.
2. 마주 보는 두 각의 크기가 같습니다.
3. 이웃하는 두 각의 크기의 합이 180°입니다.

이웃하는 두 각의 크기의 합이 180°이므로
180°−70°=110°

평행사변형도
사각형의 한 종류니까
네 각의 크기의 합이 360°야.

**1**  5  4 cm  5 cm

**2**  7 cm  3 cm  7 cm

**3**  45  135°  45°  180°−135°=45°

**4**  50  130°  50°  180°−130°=50°

**5**  70  110°  110°  180°−110°=70°

**6**  115  65°  180°−65°=115°

**7**  140  40°  180°−40°=140°

**8**  125  55°  180°−55°=125°

# 2일 마름모

다음은 마름모입니다. ☐ 안에 알맞은 수를 써넣으시오.

▶ 마름모의 성질
1. 네 변의 길이가 모두 같습니다.
2. 마주 보는 두 각의 크기가 같습니다.
3. 이웃하는 두 각의 크기의 합이 180°입니다.

마름모도 평행사변형이어도 하나가 평행사변형의 성질을 모두 가지고 있어.

이웃하는 두 각의 크기의 합이 180°이므로
180° − 50° = 130°

**1**

6 cm

6 cm → 6

**2**

9 cm

9 cm → 9

**3**

40°

140°

40°

40

**4**

50°

130°

130°

130

**5**

125°

55

180° − 125° = 55°

**6**

35

145°

180° − 145° = 35°

**7**

90

90°

**8**

160

20°

180° − 20° = 160°

# 3일 사각형의 성질

✎ 다음은 평행사변형입니다. ☐ 안에 알맞은 수를 써넣으시오.

3주차: 사각형의 성질 43

42 D2 도형조작

## 4일 자른 도형의 각도

사각형에 대각선을 그었습니다. □ 안에 알맞은 수를 써넣으시오.

**평행사변형**
마주 보는 두 각의 크기가 같으므로
130° - 55° = 75°
180° - 50° = 130°
이웃하는 두 각의 크기의 합이 180° 이므로
180° - 50° = 130°

**마름모**
나누어진 삼각형은 이등변삼각형이므로
180° - 120° = 60°, 60° ÷ 2 = 30°

마름모는 네 변의 길이가 같으니까 대각선을 그으면 이등변삼각형 2개로 나누어져.

**1 평행사변형**
180° - 60° - 45° = 75°
75

**2 평행사변형**
180° - 135° - 30° = 15°
15

**3 평행사변형**
180° - 70° - 60° = 50°
50

**4 평행사변형**
180° - 125° - 35° = 20°
55° - 20° = 35°
180° - 125° - 35° = 20°
20

**5 마름모**
180° - 70° = 110°
110° - 70° = 50°
110° - 60° = 50°
180° - 90° = 90°, 90° ÷ 2 = 45°
45

**6 마름모**
180° - 125° = 55°
55° - 20° = 35°
180° - 125° - 35° = 20°
140

**7 마름모**
180° - 50° = 130°, 130° ÷ 2 = 65°
65

**8 마름모**
180° - 20° - 20° = 140°
180° - 75° - 75° = 30°
30

마름모에서 색칠한 삼각형은 이등변삼각형입니다.

정답과 해설

## 5일 패턴블록의 각도

✎ 패턴블록의 각도를 살펴보고, ☐ 안에 알맞은 수를 써넣으시오.

변의 합과 차를 이용해 패턴블록을 겹친 부분의 각도를 구해.

**1**

$90° - 60° = 30°$　30°

**2**
$120° - 60° = 60°$　60°

**3**
$90° - 55° = 35°,\ 60° - 35° = 25°$　25°

35°
55°

**4**
$90° - 15° - 30° = 45°$　45°

15°

**5**
$180° - 90° = 90°$　90°

**6**
$120° - 40° - 30° = 50°$
$180° - 50° - 60° = 70°$　70°

40°
50°
60°

**7**
$150° - 120° = 30°$
$180° - 30° - 30° = 120°$　120°

30° 30°

**8**
$60° - 15° - 30° = 15°$
$180° - 15° - 60° = 105°$　105°

15°
15°

## 확인학습

다음은 평행사변형입니다. ☐ 안에 알맞은 수를 써넣으시오.

**1**

8 cm

10 cm

8 cm

**2**

130

130°

다음은 마름모입니다. ☐ 안에 알맞은 수를 써넣으시오.

**3**

6 cm

6 cm

**4**

100

80°

$180° - 80° = 100°$

다음은 평행사변형입니다. ☐ 안에 알맞은 수를 써넣으시오.

**5**

120

120°

60°

$180° - 120° = 60°$
$180° - 60° = 120°$

**6**

70

110°

110°

70°

$180° - 110° = 70°$
$180° - 70° = 110°$
$180° - 110° = 70°$

사각형에 대각선을 그렸습니다. ☐ 안에 알맞은 수를 써넣으시오.

**7** 평행사변형

60

50°

60°

70°

$180° - 50° - 60° = 70°$
$180° - 50° = 130°$
$130° - 70° = 60°$

**8** 마름모

35

110°

$180° - 110° = 70°$
$70° ÷ 2 = 35°$

정답과 해설

# 1일 다각형의 모든 각

✏️ 다각형의 한 꼭짓점에서 이웃하지 않은 모든 꼭짓점에 선분을 긋고, ☐ 안에 알맞은 말 또는 수를 써넣으시오.

> 오각형을 삼각형 3개로 나눌 수 있으니까 오각형 모든 각의 크기의 합은 180°×3=540°야.

다각형의 이름: 오각형
만들어지는 삼각형의 수: 3 개
모든 각의 크기의 합: 540 °

**1**

다각형의 이름: 사각형
만들어지는 삼각형의 수: 2 개
모든 각의 크기의 합: 360 °

**2**

다각형의 이름: 사각형
만들어지는 삼각형의 수: 2 개
모든 각의 크기의 합: 360 °

**3**

다각형의 이름: 오각형
만들어지는 삼각형의 수: 3 개
모든 각의 크기의 합: 540 °

**4**

다각형의 이름: 육각형
만들어지는 삼각형의 수: 4 개
모든 각의 크기의 합: 720 °

**5**

다각형의 이름: 칠각형
만들어지는 삼각형의 수: 5 개
모든 각의 크기의 합: 900 °

**6**

다각형의 이름: 팔각형
만들어지는 삼각형의 수: 6 개
모든 각의 크기의 합: 1080 °

## 2일

# 정다각형의 한 각

✏️ 다음은 정다각형입니다. □ 안에 알맞은 수를 써넣으시오.

정삼각형

3 cm
60° 60°
3 cm   3 cm
60°

정사각형

정오각형

정육각형

🐹 변의 길이가 모두 같고, 각의 크기도 모두 같은 다각형을 정다각형이야.

삼각형 세 각의 크기의 합: 180°
정삼각형은 세 각의 크기가 모두 같으므로
한 각의 크기는 180 ÷ 3 = 60°

**1**

60°
8 cm
60°
8 cm

**2**

90°
9 cm
9 cm

---

**3**

5 cm
108°
5 cm
108°
108°

**4**

4 cm
120°
4 cm
120°

**5**

60°
6 cm
6 cm

**6**

7 cm
90°
7 cm

**7**

4 cm
108°
4 cm

$180° \times 3 = 540°$
$540° \div 5 = 108°$

**8**

3 cm
120°
3 cm

$180° \times 4 = 720°$
$720° \div 6 = 120°$

## 3일 평행선 사이의 도형

✏️ 직선 가와 직선 나는 평행합니다. □ 안에 알맞은 수를 써넣으시오.

삼각형 안의 각을 모두 구합니다.
① 90° ② 180°−90°−60°=30°
평행선 사이에 수직인 선분이 있으므로
③ 90°−30°=60°

사각형 안의 각을 모두 구합니다.
① 90° ② 360°−90°−120°−85°=65°
평행선 사이에 수직인 선분이 있으므로
③ 90°−65°=25°

두 평행선 사이에 선분이 있을 때,
선분이 한 평행선의 수직이면
다른 평행선에도 수직이에요.

**1** 가 55° / 나 35°
180°−90°−35°=55°
90°−55°=35° [35°]

**2** 가 45° / 나 45°
180°−45°−90°=45°
180°−45°−90°=45° [45°]

**3** 가 50°, 40° / 나 50°
90°−50°−40°=50°
180°−90°−40°−50°=130 [130°]

**4** 가 55°, 125°, 35° / 나 55°
180°−125°=55°
180°−90°−55°=35°
180°−90°−35°=55 [55°]

**5** 가 120° / 나
360°−90°−90°−120°=60
90°−60°=30 [30°]

**6** 가 35°, 55°, 100°, 115° / 나 65°
90°−35°=55°
360°−55°−100°−90°=115°
180°−115°=65 [65°]

**7** 가 110°, 70°, 20° / 나 70°
180°−110°=70°, 90°−20°=70°
360°−70°−70°−90°=130 [130°]

**8** 가 70°, 110°, 25°, 65° / 나 95°, 65°
180°−25°−90°=65°
180°−70°=110°
360°−110°−90°−65°=95 [95°]

# 4일 수선 긋기와 삼각형

◈ 직선 가와 직선 나는 평행합니다. ☐ 안에 알맞은 수를 써넣으시오.

평행선 사이에 수선을 그어 직각삼각형을
만듭니다.

직각삼각형에서 잴 수 있는 각을 모두 구합니다.
① 90° ② 90° - 50° = 40°
직각삼각형 세 각의 합을 이용하면
③ 180° - 90° - 40° = 50°

평행선 사이에 수선을
그으면 각 평행선과 수선이
이루는 각은 모두 직각이야.

**1**

40°
50°
40

90° - 40° = 50°
180° - 90° - 50° = 40°

**2**
70°
20°
70

180° - 70° - 90° = 20°
90° - 20° = 70

D2 도형조작

58

**3**
45°
135°
45°
45

180° - 135° = 45°
180° - 90° - 45° = 45°
90° - 45° = 45°

**4**

120°
60°
30°
60

180° - 120° = 60°
180° - 60° - 90° = 30°
90° - 30° = 60°

**5**
55°
35°
55°
125

90° - 55° = 35°
180° - 35° - 90° = 55°
180° - 55° = 125°

**6**

60°
30°
60°
120

90° - 60° = 30°
180° - 30° - 90° = 60°
180° - 60° = 120°

**7**
145°
55°
35°
145

145° - 90° = 55°
180° - 55° - 90° = 35°
180° - 35° = 145°

**8**
105°
75°
15°
105

105° - 90° = 15°
180° - 90° - 75° = 15°
180° - 75° = 105°

플라토 D2 4주차: 선 긋기와 각

59

# 5일 수선 긋기와 사각형

✏️ 직선 가와 직선 나는 평행합니다. ☐ 안에 알맞은 수를 써넣으시오.

평행선 사이에 수선을 그어 사각형을 만듭니다.

사각형에서 알 수 있는 각들을 모두 구합니다.
㉠ 90°, ㉡ 90° − 45° = 45°
사각형 네 각의 합을 이용하면
㉢ 360° − 90° − 45° − 110° = 115°

수선을 긋는 위치가 중요해!

**1** 가

100

90° − 40° − 50°
360° − 50° − 120° − 90° = 100°

**2** 가

105

90° − 35° − 55°
360° − 55° − 110° − 90° = 105°

**3** 가

45

360° − 135° − 90° − 90° = 45°
90° − 45° = 45°

**4** 가

40

360° − 130° − 90° − 90° = 50°
90° − 50° = 40°

**5** 가

145

90° − 50° = 40°
180° − 95° = 85°
360° − 40° − 90° − 85° = 145°

**6** 가

75

180° − 50° = 130°
90° − 25° = 65°
360° − 130° − 130° − 65° = 75°

**7** 가

145

180° − 60° = 120°
360° − 95° − 120° − 90° = 55°
55° + 90° = 145°

**8** 가

140

180° − 100° = 80°
360° − 140° − 90° − 80° = 50°
50° + 90° = 140°

확인학습

다각형의 한 점에서 이웃하지 않은 모든 꼭짓점에 선분을 긋고, □ 안에 알맞은 말 또는 수를 써넣으시오.

**1**

다각형의 이름: 오각형

만들어지는 삼각형의 수: 3 개

모든 각의 크기의 합: 540°

**2**

다각형의 이름: 칠각형

만들어지는 삼각형의 수: 5 개

모든 각의 크기의 합: 900°

다음은 정다각형입니다. □ 안에 알맞은 수를 써넣으시오.

**3**

60 °   7 cm   7 cm   60°

**4**

120 °   3 cm   3 cm   120°

직선 **가**와 직선 **나**는 평행합니다. □ 안에 알맞은 수를 써넣으시오.

**5**   가   나   50°   40°   130 °

180° − 50° − 90° = 40°

40° + 90° = 130°

**6**   가   나   120°   30°   60°   120 °

120° − 90° = 30°

180° − 30° − 90° = 60°

180° − 60° = 120°

직선 **가**와 직선 **나**는 평행합니다. □ 안에 알맞은 수를 써넣으시오.

**7**   가   나   140°   65°   25°   65 °

90° − 25° = 65°

360° − 90° − 65° − 140° = 65°

**8**   가   나   30°   60°   75°   105°   105 °

90° − 30° = 60°

180° − 75° = 105°

360° − 60° − 105° − 90° = 105°

# 형성 평가 | 본문 66~67쪽

| 배점 | 문항 | 제한 시간 10분 | 맞은 개수 /8개 |

**1회차**

### 형성 평가 1회차

✛ 각도의 합과 차를 이용하여 ☐ 안에 알맞은 수를 써넣으시오.

**1**

25° 100°

☐ = 125

25° + 100° = 125°

**2**

80° 15°

☐ = 65

80° − 15° = 65°

✛ 다음은 이등변삼각형입니다. ☐ 안에 알맞은 수를 써넣으시오.

**3**

25°

☐ = 130

180° − 25° − 25° = 130°

**4**

50°

☐ = 65

180° − 50° = 130°
130° ÷ 2 = 65°

✛ 다음은 마름모입니다. ☐ 안에 알맞은 수를 써넣으시오.

**5**

6 cm
6 cm

**6**

50°

☐ = 130

180° − 50° = 130°

✛ 직선 **가**와 직선 **나**는 평행합니다. ☐ 안에 알맞은 수를 써넣으시오.

**7**

가
40° 50°
40°
나

☐ = 140

90° − 40° = 50°
180° − 50° − 90° − 40°
180° − 40° = 140°

**8**

가
40°
50°
130°
나

☐ = 50

90° − 40° = 50°
360° − 50° − 90° − 90° = 130°
180° − 130° = 50°

## 2회차

# 형성 평가

제한 시간 10분 / 맞은 개수    /8개

점    월    일

✦ ☐ 안에 알맞은 수를 써넣으시오.

**1**

$$85$$

$$180° - 50° - 45° = 85°$$

**2**

$$15$$

$$180° - 35° - 130° = 15°$$

✦ 다음은 이등변삼각형입니다. ☐ 안에 알맞은 수를 써넣으시오.

**3**

$$80$$

**4**

$$105$$

✦ 다음은 평행사변형입니다. ☐ 안에 알맞은 수를 써넣으시오.

**5**

$$6$$

**6**

$$75$$

$$180° - 105° = 75°$$

✦ 직선 **가**와 직선 **나**는 평행합니다. ☐ 안에 알맞은 수를 써넣으시오.

**7**

$$70$$

$$180° - 110° = 70°$$
$$180° - 90° - 70° = 20°$$
$$90° - 20° = 70°$$

**8**

$$135$$

$$90° - 45° = 45°$$
$$180° - 90° - 45° = 45°$$
$$180° - 45° = 135°$$

정답 **28**

플라토 D2_형성 평가

**3회차** 영성 평가

날 일 제한 시간 10분/맞은 개수 /8개

✦ ☐ 안에 알맞은 수를 써넣으시오.

**1**

125°

180° − 55° − 70° = 55°
180° − 55° − 55° = 125°

**2**

40°

115°  65°
25°

180° − 65° = 115°
180° − 25° − 115° = 40°

✦ 다음은 정삼각형입니다. ☐ 안에 알맞은 수를 써넣으시오.

**3**

60°

**4**

120°

180° − 60° = 120°

✦ 패턴블록의 각도를 살펴보고, ☐ 안에 알맞은 수를 써넣으시오.

60°  60°

120°  60°
60°  120°

150°  30°
30°  150°

**5**

60°

90° − 30° = 60°

**6**

60°

180° − 60° − 60° = 60°

✦ 직선 **가**와 직선 **나**는 평행합니다. ☐ 안에 알맞은 수를 써넣으시오.

**7**

가  35°
55°

100°

나  115°

90° − 35° = 55°
360° − 55° − 90° − 115° = 100°

**8**

110°

70°

160°

130°  70°

나

180° − 110° = 70°
360° − 90° − 70° − 130° = 70°
90° + 70° = 160°

70 D2 도형조작

형성 평가 71

월    일

**4회차** 형성 평가

+ ☐ 안에 알맞은 수를 써넣으시오.

**1**

☐ 안에 알맞은 수를 써넣으시오.

120

$360° - 90° - 75° - 75° = 120°$

**2**

125

$360° - 100° - 70° - 65° = 125°$

+ 두 종류의 삼각자를 보고, ☐ 안에 알맞은 수를 써넣으시오.

**3**

30

$90° - 30° - 30° = 30°$

**4**

100

$45° - 25° + 60° = 80°$
$180° - 80° = 100°$

+ 다음은 평행사변형입니다. ☐ 안에 알맞은 수를 써넣으시오.

**5**

130

$180° - 130° = 50°$
$180° - 50° = 130°$

**6**

55

$180° - 125° = 55°$
$180° - 55° = 125°$
$180° - 125° = 55°$

+ 다각형의 한 꼭짓점에서 이웃하지 않은 모든 꼭짓점에 선분을 긋고, ☐ 안에 알맞은 말 또는 수를 써넣으시오.

**7**

다각형의 이름: 오각형

만들어지는 삼각형의 수: 3 개

모든 각의 크기의 합: 540°

**8**

다각형의 이름: 육각형

만들어지는 삼각형의 수: 4 개

모든 각의 크기의 합: 720°

D2 도형조각    72

73 형성 평가

## 5회차 형성 평가

월 일 | 제한 시간 10분 | 맞은 개수 /8개

✦ □ 안에 알맞은 수를 써넣으시오.

**1**

110

360° − 85° − 90° − 115° = 70°
180° − 70° = 110°

**2**

95

180° − 130° = 50°
360° − 115° − 110° − 50° = 85°
180° − 85° = 95°

✦ 이등변삼각형 2개를 붙였습니다. □ 안에 알맞은 수를 써넣으시오.

**3**

65

180° − 45° − 45° = 90°
180° − 130° = 50°, 50° ÷ 2 = 25°
180° − 90° − 25° = 65°

**4**

35

180° − 40° = 140°, 140° ÷ 2 = 70°
180° − 70° = 110°
180° − 110° = 70°, 70° ÷ 2 = 35°

✦ 사각형에 대각선을 그었습니다. □ 안에 알맞은 수를 써넣으시오.

**5** 평행사변형

75

180° − 40° − 65° = 75°

**6** 마름모

30

✦ 다음은 정다각형입니다. □ 안에 알맞은 수를 써넣으시오.

**7**

90

8 cm

**8**

108

5

Memo

# " Let no one untrained in geometry enter. "

"기하학을 모르는 자, 이 문을 들어오지 말라."